© 2014 Disney Enterprises, Inc.
Todos los derechos reservados.
© de esta edición: Editorial Planeta, S.A., 2014
Avda. Diagonal, 662-664, 08034 Barcelona (España)
www.planetadelibrosinfantilyjuvenil.com
www.planetadelibros.com

Primera edición: junio de 2014
ISBN: 978-84-9951-595-3
Depósito legal: B. 10.826-2014
Impreso por Egedsa
Impreso en España – Printed in Spain

Era otro precioso día en la Hondonada de las hadas. Todos iban a trabajar, incluida la entusiasta hada Zarina.

Mientras que las otras hadas iban volando, Zarina caminaba. Era extraño, porque ella se encargaba de guardar el polvo de hadas y trabajaba con el polvo mágico dorado que ayudaba a las hadas a volar.

El duende Gary enseñó a Zarina a recolectar polvo azul.

—Exactamente veintiséis gotas —advirtió.

—¿Por qué? —preguntó Zarina.

—Eres el hada más curiosa que he conocido —dijo Gary.

Zarina quiso crear polvo de color rosa, colocó su pulsera sobre el polvo dorado. El brazalete flotó en el aire hasta que llegó a una mota de polvo azul. Entonces comenzó a rebotar en las ramas del árbol...

¡Hasta que golpeó en la cara al duende Gary! No solo estaba sorprendido, Zarina podía ver que también estaba decepcionado con ella.

—Los guardianes del polvo tienen prohibido manipular el polvo de hadas —dijo el duende Gary.

En su casa, Zarina vació su cantidad diaria de polvo de hadas en un frasco. Esa era la razón por la que siempre iba caminando, ¡ahorraba todo su polvo para hacer experimentos! Hasta el momento, intentara lo que intentara, el polvo dorado de hadas siempre se mantenía igual.

Con un suspiro, cerró su diario de experimentos y bajó la cabeza.

De repente, se dio cuenta de que un punto de color azul brillaba encima de su diario.

¡Una mota de polvo azul debía de
haber caído de su pelo! Mirando el
polvo azul, Zarina se sintió inspirada.

Tras varios intentos, añadiendo polvo azul podía crear polvo
de otros colores y con otros poderes. ¡Mostró su hallazgo
a Campanilla, que se sorprendió al ver el polvo naranja
que Zarina había creado!

—Eso nunca se ha hecho antes —titubeó Campanilla.

—¡Estoy haciendo más! —dijo Zarina, y pidió a su amiga
que removiera el contenido de otro cuenco.

Esta vez, el polvo era de color rosa, y con él, ¡Zarina creó un torbellino! Pero a Campanilla le preocupaba que Gary no supiera nada sobre esos experimentos.

—¡Creo que deberías parar! —exclamó con firmeza.

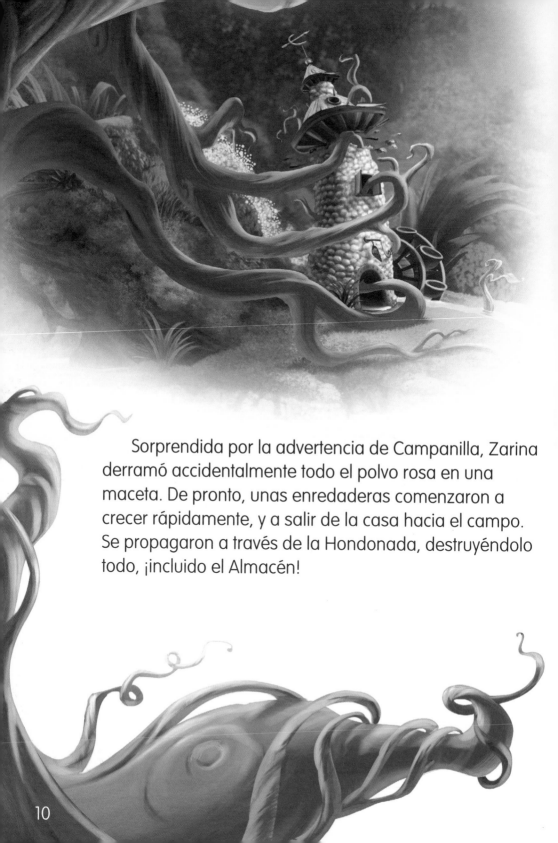

Sorprendida por la advertencia de Campanilla, Zarina derramó accidentalmente todo el polvo rosa en una maceta. De pronto, unas enredaderas comenzaron a crecer rápidamente, y a salir de la casa hacia el campo. Se propagaron a través de la Hondonada, destruyéndolo todo, ¡incluido el Almacén!

Cuando el duende Gary vio el polvo rosa, supo que Zarina había estado experimentando con el polvo de hadas. Le dijo que no le permitía trabajar más con él.

Los ojos de Zarina se llenaron de lágrimas. Amaba el polvo de hadas y ser una guardiana del polvo. Volvió a casa y lo guardó. Después de mirar por última vez a su alrededor, roció con polvo sus alas y se alejó de la Hondonada.

Durante un año no volvieron a tener ninguna noticia del hada desaparecida.

En el Festival de las Cuatro Estaciones, todos se reunían en el estadio para ver la demostración de los talentos de las hadas. Campanilla trabajaba detrás del escenario con una caja de música que iba a formar parte del gran final del festival.

De pronto, llegó Zarina y espolvoreó polvo de color rosa. Comenzaron a brotar amapolas en todo el estadio.

Rosetta sabía que el polen de las flores haría que todos se durmieran. Consiguió que sus amigas se metieran rápidamente dentro de la caja de música.

Mientras, Zarina había ido a la bóveda del Polvo de Hada Azul.

Las hadas se dirigieron hacia el Almacén. Zarina
había desaparecido. ¡Y también el polvo azul!
Zarina lo había robado.

El Árbol de Polvo de Hadas necesitaba el polvo azul para hacer polvo dorado, o el suministro de polvo dorado de las hadas se agotaría.

Campanilla y sus amigas aletearon por el bosque en busca de Zarina.

—¡Allí! —gritó Iridessa.

Más adelante se veía el resplandor del polvo azul, ¡y se movía rápido! ¡Tenía que ser Zarina! Las hadas volaban cada vez más alto según se acercaban a la costa. Entonces, ¡vieron un barco pirata! Un bote de remos, del que salía un resplandor azul, se dirigía hacia el barco.

—Deben de haberla secuestrado. La han obligado a robar el polvo —dijo Campanilla.

Las hadas descendieron, con cuidado de no ser vistas por los tres piratas, y se asomaron por un agujero de la madera. ¡Campanilla vio el resplandor azul que procedía de la proa!

En el interior del bote, Zarina sostenía triunfalmente el polvo azul. Las hadas no podían creer lo que estaban viendo.

—Permítame decir que su plan funcionó a la perfección..., capitana —dijo James, el grumete.

Los otros piratas, Babor y Estribor, se inclinaron ante su pequeña líder. ¡Zarina era una pirata!

—Recuperemos el polvo
y salgamos de aquí —ordenó
Campanilla, al ver que Zarina
no estaba de su lado.

Las hadas comenzaron a actuar. Rosetta hizo que
crecieran algas y se enroscaran a los remos. Iridessa
reflejó un rayo de la luna en los ojos de James,
y Silvermist golpeó el bote con una ola.

James cayó al mar. Vidia
cogió el polvo azul, se lo
lanzó a Campanilla, y luego
paró a Zarina, que trataba de
recuperarlo.

Las hadas se dirigieron a la orilla, pero Zarina las alcanzó rápidamente y les exigió que le devolvieran el polvo. Campanilla se negó.

—Este polvo pertenece a la Hondonada de las Hadas —dijo con firmeza.

Zarina se metió la mano en el bolsillo y les lanzó un puñado de polvo de hadas. ¡Era de muchos colores! El polvo empujó a Campanilla y sus amigas hacia atrás, a través de una cascada. Zarina agarró la bolsa de polvo azul y, rápidamente, se marchó volando.

Las hadas habían sido noqueadas. Cuando se despertaron, algo había cambiado. Sus trajes, y sus talentos, ¡estaban intercambiados!

¡Campanilla era un hada del
agua! Trató de tocar una cascada
cercana pero, sin querer, Silvermist
la golpeó, haciendo que el agua
las arrastrara por una larga y
sinuosa hoja.

Las hadas llegaron a una playa. Rosetta, ahora un hada
de los animales, ¡cayó sobre un huevo de cocodrilo! El bebé
cocodrilo salió del cascarón y abrazó muy fuerte a Rosetta.

—¡No pasa nada! Se quedan con lo primero
que ven —la tranquilizó Fawn.

El cocodrilo creía que Rosetta era su madre.

De repente, Campanilla se dio cuenta de que el barco
pirata se había marchado. Vidia, quien, a su pesar, era
ahora un hada artesana, se encargó de hacer un barco
con parte del huevo de cocodrilo. La veloz Silvermist
tendría que arrastrar a las demás hasta el barco, no
podían volar con las alas mojadas. Las hadas pasaron
volando por encima del agua.

De repente, ¡una gran ola las lanzó al interior del
barco!

Las hadas aterrizaron dentro de uno de los cañones.

—¡Veintiún cañonazos por la capitana!
—anunció un pirata llamado Yang.

—¡Fuera, fuera, fuera!
—ordenó Campanilla a sus amigas.
Las hadas salieron justo a tiempo,
y vieron a los piratas brindar por Zarina.

Zarina les había prometido hacer volar el
barco pirata. Se imaginaban volando hasta
la segunda estrella, camino de Tierra Firme,
y descendiendo donde quisieran. Iba a ser
muy fácil robar al mundo sus grandes tesoros.
Después de todo, ¡nadie sería capaz de
atrapar un barco volador!

Campanilla y el resto de las hadas
volaron hasta el puesto del vigía. De
repente, se quedaron sin aliento, presas
del miedo. El barco pirata navegaba
directamente hacia una cueva oscura
y espeluznante, ¡la Roca Calavera!

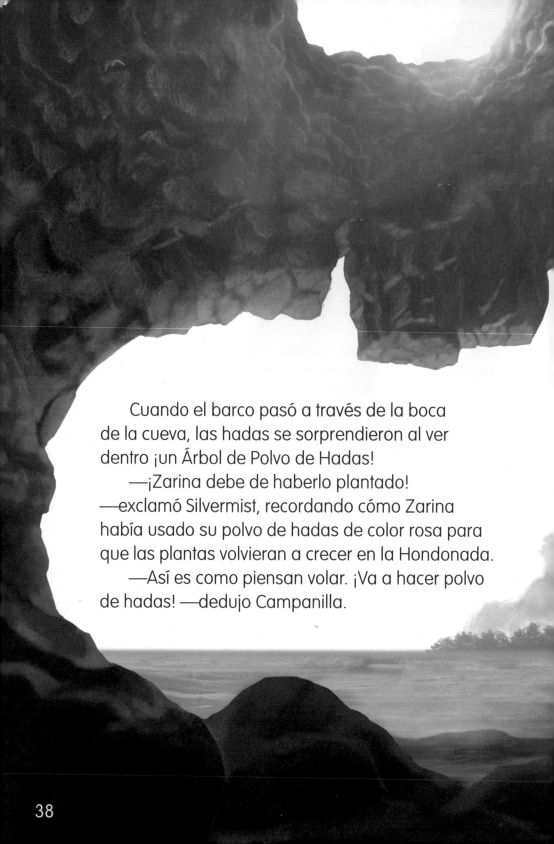

Cuando el barco pasó a través de la boca de la cueva, las hadas se sorprendieron al ver dentro ¡un Árbol de Polvo de Hadas!

—¡Zarina debe de haberlo plantado! —exclamó Silvermist, recordando cómo Zarina había usado su polvo de hadas de color rosa para que las plantas volvieran a crecer en la Hondonada.

—Así es como piensan volar. ¡Va a hacer polvo de hadas! —dedujo Campanilla.

El barco atracó en el interior de la cueva. Las hadas siguieron a Zarina hasta su camarote. Cuando James le trajo algo de comida, Campanilla, Vidia y Silvermist se deslizaron detrás de él. Mientras, las demás se quedaron escuchando en la puerta.

—Eres una pequeña genio —dijo James observando a Zarina con el polvo azul—. Es difícil creer que las demás hadas no apreciaran tu talento.

Zarina tintineaba mientras vertía el polvo azul en una botella, explicando cómo lo preparaba para el Árbol de Polvo de Hadas.

James era el único pirata que podía entender lo que decía. Se había convertido en su amigo más fiel.

Cuando Zarina y James estuvieron de espaldas,
las hadas volaron hasta esconderse en un cajón del
escritorio. Vidia trató de enganchar la preciada botella con
un hilo de pescar. Pero Zarina volvió a su escritorio, cogió
la botella de polvo azul y salió del camarote con James.

Juntas de nuevo, las hadas siguieron a Zarina hasta el Árbol de Polvo de Hadas. Sin querer, Iridessa, ahora un hada de jardín, tocó una rama e hizo que creciera rápidamente. En el momento que Zarina estaba vertiendo el polvo azul sobre el árbol, ¡la rama empujó a las hadas y las sacó de su escondite!

Zarina silbó, y los piratas acudieron. Capturaron a Campanilla y a las demás con una red.

—¡No lo hagas! —rogó Campanilla a Zarina—. Vuelve a casa. No perteneces a esto.

—A esto es exactamente a lo que pertenezco —respondió Zarina.

Zarina se sentía apreciada por los piratas, a diferencia de cómo e había sentido en la Hondonada.

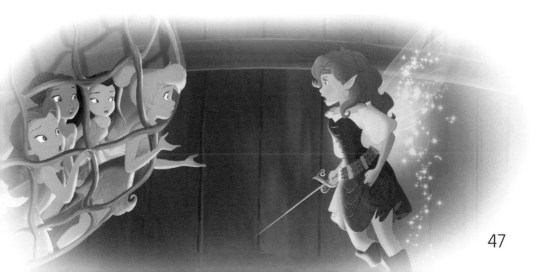

Zarina ordenó a Oppenheimer, el cocinero, que llevara lejos a las hadas. Él las dejó en la cocina, dentro de una jaula para cangrejos, que cerró con fuerza.

Mientras, Zarina abrió el frasco y dejó que el polvo azul cayera sobre el árbol. El árbol comenzó a brillar y a moverse. Después... ¡produjo un poco de polvo dorado de hadas!

¡Su gran plan de robar el polvo azul para ayudarlos a volar había funcionado! En el barril caía más y más polvo dorado. Zarina brillaba de felicidad.

En la cocina del barco, mientras Oppenheimer estaba distraído buscando una patata perdida, las hadas intentaron escapar. Campanilla y sus amigas sacaron sus piernas por las rendijas de la jaula de cangrejos y corrieron hacia la puerta.

Pero Oppenheimer las atrapó.
Dejó la jaula en la mesa y colocó un peso
encima. Quería evitar más intentos de fuga.

Fuera del barco, el polvo mágico dorado fluía constantemente. Zarina lo roció sobre James.

—¡Estoy volando! —gritó James entusiasmado mientras surcaba el aire.

Tras un emocionante vuelo, James y Zarina supieron que mientras ellos tuvieran polvo azul, nunca les faltaría el polvo dorado.

—Bueno, entonces, ya no te necesitamos más —dijo James con una sonrisa maligna.

¡Agarró a Zarina y la encerró en un farolillo!

—Cuando estemos más allá de la segunda estrella... ¡el mundo será mío! —dijo James.

Los piratas aclamaron a James.
¡Él había sido el verdadero capitán
del barco todo el tiempo!

En la cocina, el cocodrilo de Rosetta
había entrado a través de un agujero de un
cañón. Rosetta le pidió que bajara la jaula
que las atrapaba.

Oppenheimer intentó atrapar a sus prisioneras
con una cazuela y su tapa.

Pero las hadas lograron escapar.

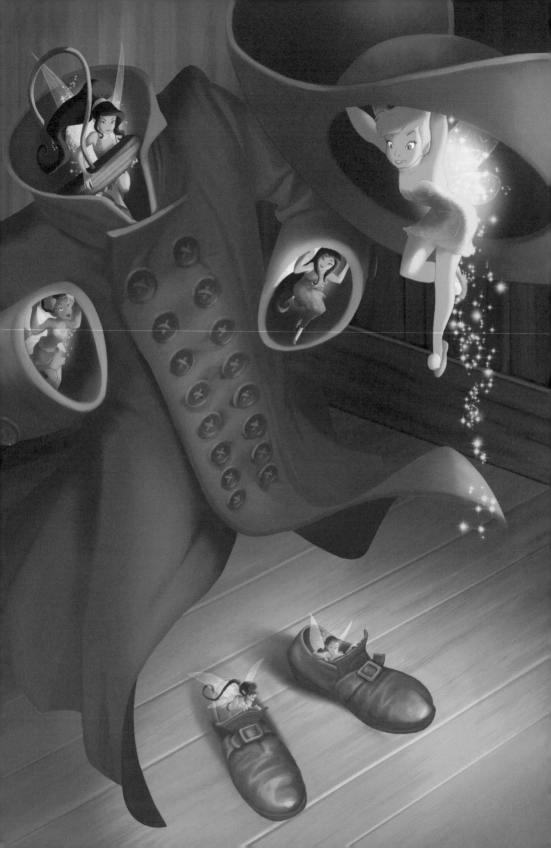

En la cubierta, mientras los piratas preparaban el barco para zarpar, otro pirata salió de la cocina. ¡Eran Campanilla y resto de las hadas disfrazadas! Cuando nadie miraba, se habían metido en la ropa de un pirata.

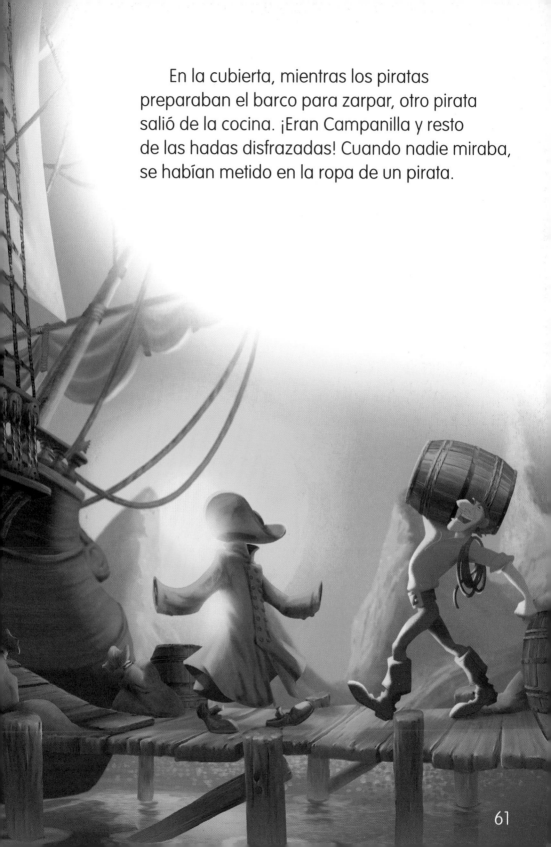

Rápidamente, Campanilla cogió el polvo azul y las hadas salieron volando. El grito de un pirata las detuvo.

—¡Devuelve el polvo azul.... ! —ordenó James.

El pirata sujetaba el farolillo con Zarina en su interior, y cada vez lo acercaba más al agua.

—¡... o tu amiga morirá! —terminó de decir.

Las hadas no querían que Zarina sufriera ningún daño. Solemnemente, Campanilla regresó al árbol y depositó el polvo azul. Ahora el polvo mágico dorado volvería a salir.

James espolvoreó el polvo dorado sobre
el barco, que comenzó a elevarse en el aire.
Agarró el frasco de polvo azul.

    —Buen viaje, pequeña capitana —se burló de Zarina.

    ¡Cogió el farolillo y lo arrojó al mar sin pensarlo dos veces!
Observó cómo las olas sacudían el farolillo antes de que se
hundiera en el mar.

Según se alejaba de la Roca Calavera, el barco pirata se elevó más y más, dirigiéndose a la segunda estrella.

Las hadas no lo vieron, ya que se apresuraron a sacar el farolillo a la superficie. ¡Zarina estaba en peligro!

Finalmente el farolillo se abrió, y las hadas pusieron a Zarina a salvo. Se sentía agradecida porque la habían salvado y avergonzada por su traición. Estaba decidida a volver a hacer las cosas bien.

Como un equipo,
las hadas salieron
de la cueva para
perseguir a los piratas.

Alcanzaron el barco en poco tiempo. Se deslizaron en el camarote del capitán sin ser vistas. Los piratas no podían creer que las hadas los hubieran seguido.

—¡Echadlas de mi barco! —ordenó James.

Los piratas se rieron de las pequeñas armas de las hadas. Estaba claro que con ellas no podrían derrotarlos, tenían que utilizar ¡sus nuevos talentos! Fawn atacó a un pirata llamado Bonito con un rayo de sol, arrojándolo por la borda. Mientras, Rosetta fue tras Oppenheimer montada sobre el bebé cocodrilo. Cuando trataba de escapar, Oppenheimer lanzó su reloj favorito, ¡que el bebé cocodrilo se tragó de un bocado!

Mientras Zarina luchaba con James, las otras hadas dirigieron la nave lejos de la segunda estrella y echaron el ancla, envolviéndolo con algas. El barco ya no podría moverse.

Pero James cortó las algas para liberar el barco. Atrapó a todas las amigas de Zarina en una vela. Pensando rápidamente, Zarina soltó el mástil.

Golpeó a James con el mástil, ¡y le arrebató el polvo azul!
James lo intentó agarrar cuando Zarina se alejaba.

Zarina giró el timón, y el barco empezó a inclinarse. El polvo dorado salió de la nave y envolvió a James. Mientras Zarina liberaba a las hadas, el pirata voló hacia ella y le arrebató el polvo azul.

Pero dejó caer una partícula. Zarina la agarró y la tiró sobre James. ¡El pirata salió disparado lejos, fuera de control!

Campanilla utilizó su talento con el agua para crear una ola gigante. James chocó contra ella, quitándole todo el polvo dorado. Cayó en el mar, donde el cocodrilo salió detrás de él.

—¡No soy un pez! —gritó James—. ¡Soy un pirata!

Las hadas regresaron volando a la Hondonada. Ya en el estadio, Zarina usó su polvo para despertar a los demás.

—¿Zarina? —exclamó el duende Gary—. Estás en casa... —y le dio un abrazo enorme.

—¡Hizo crecer un Árbol de Polvo de Hadas! —dijo Rosetta.

Ahora contaban con dos árboles, ya no tendrían que preocuparse de quedarse sin polvo mágico.

La Reina Clarion estaba tan impresionada que concedió permiso a Zarina para mostrar su polvo de hadas. El polvo multicolor brilló cuando Zarina devolvió a sus amigas sus talentos originales. ¡Todos estaban asombrados!

Pasó el tiempo, y la vida en la Hondonada de las hadas regresó felizmente a la normalidad. Aunque en los mares de Nunca Jamás merodeaba un capitán pirata.